SOFÍA la FABULOSA

SOFÍA la FABULOSA

Lara Bergen

ilustrado por Laura Tallardy

SCHOLASTIC INC.

New York Toronto London Auckland
Sydney Mexico City New Delhi Hong Kong

Originally published in English as *Sophie the Awesome*
Translated by Karina Geada

ISBN 978-0-545-23991-2

12 11 10 9 8 7 6 5 4 3 2 1   10 11 12 13 14 15/0

Printed in the U.S.A.   40
First Spanish printing, September 2010
Designed by Tim Hall

A Shannon la Fabulosa... ¡editora!

C A P Í T U L O 1

Sofía cerró el libro y suspiró.

Leo Corazón de León: el niño más valiente del mundo.

¡No era justo!

Sofía estaba harta de leer historias sobre gente mucho más… mucho más de todo que ella.

De pronto… se dio cuenta. En ese momento supo exactamente qué le faltaba.

Un nombre.

¡Por supuesto! Pero no un nombre cualquiera. Ya tenía uno de esos: Sofía H. Miller. (La H era de Hamm; sí, Hamm. Pronunciado como quien no sabe qué decir.).

Vaya nombre. Y qué aburrido.

Lo que Sofía necesitaba era un nombre que la describiera perfectamente. Un nombre que lo dijera todo. Un nombre que no fuera aburrido.

Le echó un vistazo a todos los libros que estaban sobre la mesa de la biblioteca y volvió a suspirar.

—¿Qué te pasa? —dijo su amiga Kate Berry asomando la cara por detrás de su libro—. ¿Estás bien?

Como Sofía siempre estaba suspirando, Kate no se preocupó mucho.

—No, no estoy bien —dijo Sofía cruzando los brazos.

—¿Por qué? —preguntó Kate mirando a su alrededor—. ¿Toby te está molestando otra vez?

Kate hizo una mueca con la boca, como si hubiera chupado un limón. Luego miró al niño que estaba sentado en la mesa de al lado. Sofía también lo miró.

Toby Myers era muy pecoso, muy pelirrojo y, si le preguntabas a Sofía, muy difícil de mirar por mucho rato. Por eso, ella nunca lo hacía.

—No, no es eso —dijo Sofía moviendo la cabeza.

—¿Entonces qué es? —preguntó Kate arrugando la

frente bajo su largo flequillo castaño.

—Que no soy nadie —dijo Sofía.

Esta vez el suspiro fue más profundo y prolongado, como si quisiera añadir, "y nunca lo seré".

Kate la miró sin entender.

—Me refiero a esto —dijo Sofía agarrando el libro y señalando con su dedo la portada.

—¿Prefieres ser un libro? —preguntó Kate rascándose el cuello—. En eso sí que no puedo ayudarte. Lo siento.

—No —dijo Sofía desesperada. No se trataba de eso. Pasó su dedo sobre el título del libro—. ¡Yo quiero ser Sofía la tal cosa también! Todos los personajes famosos tienen nombres así. Yo soy un personaje. La Sra. Moffly lo repite todo el tiempo. ¡Ponte a pensar! Ramona la Valiente; Harriet la Espía…

—Alí el Babá —añadió Kate guiñándole un ojo.

—Exactamente —asintió ella frunciendo el ceño—. Muy graciosa.

Kate se rió y la Srta. Elaine, la bibliotecaria, se acercó a ellas.

—Psss —dijo la Srta. Elaine—, es la hora de leer en

silencio, no lo olviden.

Kate asintió con la cabeza y volvió a taparse la cara con su libro. Sofía se dio cuenta de que seguía riéndose.

—No me estás ayudando —murmuró Sofía con una risita nerviosa.

Las chicas notaron que la bibliotecaria fue hasta la mesa de Toby.

—Siéntate, por favor —dijo la bibliotecaria a Toby y a su nuevo y superfastidioso amigo, Archie Dolan.

Alguien siempre tenía que pedirles a esos dos que se sentaran.

Kate tocó la mano de Sofía.

—Perdón —murmuró—, yo tampoco soy nadie. Creo que Kate la Grande suena bastante atractivo.

Sofía se recostó en la silla y volvió a abrir el libro. Pero ni siquiera intentó leerlo. En lugar de eso, trató de concentrarse.

Sofía la…

Sofía la…

Sofía la… ¡¿qué?!

En realidad no podía ser Sofía la Primera porque

ella no era la primera en su familia. Su hermana mayor, Hayley, no se lo iba a permitir.

Pero tampoco iba a ser Sofía la Última porque Max era su hermano menor. Y de cualquier manera, ella no quería ser la última.

Ni siquiera era la única Sofía en la clase de tercer grado de la Sra. Moffly porque estaba Sofía Aarons, o Sofía A, como todos la llamaban.

Esa era otra razón por la que Sofía necesitaba un nombre especial. Ser Sofía M. era simplemente absurdo.

Entonces, ¿cómo se llamaría?

No podía ser nada que rimara con su nombre, porque nada rimaba con Sofía... o al menos nada que tuviera sentido.

Ella no podía ser la Alta; esa era Grace.

Tampoco podía ser la Inteligente; esa era Sofía A., también. (¡Qué injusto!)

Ni podía ser la Desagradable. (No es que ella quisiera serlo tampoco). Pero esa era Mindy.

Y no podía ser la Divertida; esa era Kate, definitivamente.

—Oye, ya tengo uno —murmuró de pronto Kate.

Sofía la miró con el ceño todavía fruncido.

—¿Cuál?

—Sofía la Cascarrabias —respondió Kate.

Sofía viró los ojos. A lo mejor Kate no era tan divertida. Pero Sofía sabía que algo se le iba a ocurrir tarde o temprano.

Mientras tanto, Kate seguía hablando en voz baja.

—Ramona la Plaga; Bob el Constructor; Billy el Niño; Marvin el Magnífico; Glinda la Bruja Buena...

—¿Qué dijiste? —preguntó Sofía de repente.

—¿Glinda la Bruja Buena? —repitió Kate—. La bruja de *El Mago de Oz*.

—No, no, no —dijo Sofía. Rápidamente miró por encima de su hombro. ¿La Srta. Elaine la estaría mirando? Se volteó y con mucho cuidado bajó su cabeza y su voz—. ¿Qué fue lo que dijiste antes?

—Umm... —pensó Kate por un rato—. ¿Marvin el Magnífico?

El corazón de Sofía se aceleró. ¡Pero claro! ¿Cómo no se le había ocurrido antes?

—¿Qué? —dijo Kate—. ¿Quieres ser Marvin el Magnífico?

—Por supuesto que no —respondió Sofía.

Ella no se llamaba Marvin, y ya Magnífico había uno. Pero qué tal otra palabra que significara lo mismo… ¡o mejor! Algo que no fuera aburrido ni común.

Increíble.

Maravillosa.

Excelente.

O tal vez… fabulosa.

¡Eso es! ¡Ese nombre era especial! ¡Seguro!

Sofía sintió que su corazón comenzaba a palpitar a un ritmo suave y estable. Cerró el libro de un golpe, al mismo tiempo que la Srta. Elaine apagó y encendió tres veces las luces.

Había terminado la hora de biblioteca.

¡Pero había llegado la hora de Sofía la Fabulosa!

CAPÍTULO 2

Sofía regresó a su salón de clases sintiéndose tan fabulosa como debería sentirse alguien que se llamara Sofía la Fabulosa. Además de que al fin podía desafiar a la presumida Mindy VonBoffmann.

Mindy siempre hacía algo que la molestaba. Últimamente, su manera de molestar era agarrar los libros de la biblioteca que le interesaban a Sofía antes de que ella pudiera hacerlo.

Al final de la clase, cada niño del salón debía escoger un libro para leer.

La primera vez, Sofía quería *Historias increíbles*

pero ciertas sobre delfines. Pero Mindy lo tomó primero.

La segunda vez, se trató de *El mejor libro de todos los tiempos sobre el cuerpo humano: edición de lujo con páginas translúcidas*. Pero Mindy lo agarró mientras Sofía se deshacía del último papelito que Toby le había lanzado.

Esta vez, casi le quita *Animales extraordinarios para dibujar*.

Casi, porque en lugar de salir en busca del libro, Sofía se arrodilló buscando otro llamado *Estampillas, estampillas y más estampillas*. Efectivamente, la rápida mano de Mindy se estiró para atraparlo.

—¿No querías este libro, verdad? —preguntó Mindy, haciéndose la sorprendida.

—No, para nada —dijo Sofía con placer, y se levantó y fue a buscar *Animales extraordinarios para dibujar*.

"¡Un punto a mi favor!", pensó mientras caminaba hacia la puerta. Después se dio otro punto cuando la Srta. Elaine dijo: "Qué bueno que esta semana no se pelearon por los libros". ¡Ja!

De regreso en el salón, el día de Sofía se iba poniendo cada vez mejor. Por lo general, la Sra. Moffly les pedía escribir algo aburrido en sus cuadernos. Cosas como, ¿Qué hicieron durante el fin de semana? o ¿Qué es lo que más les gusta de tercer grado? Algunas veces Sofía quería que su profesora la dejara escribir sobre un sueño o de lo que le hubiera gustado hacer el fin de semana, en vez de tener que escribir sobre la aburrida presentación de ballet de su hermana y la limpieza de su habitación, o simplemente escribir sobre cualquier cosa que no fuera el tercer grado.

Una vez, Sofía intentó escribir sobre otra cosa, pero la Sra. Moffly se dio cuenta de que no era una historia real.

"Me encanta tu imaginación, Sofía —decía la nota que le escribió al final de la página—. Espero que algún día puedas viajar al espacio. Pero a partir de ahora, vamos a limitarnos a los hechos. ¡La vida real también puede ser muy interesante!"

¿Ah, sí?

Existía una sola palabra para describir la vida de Sofía: aburrida. No tenía nada de especial ni de interesante. Su estatura era promedio. Su peso era promedio. Incluso su cabello era promedio. No era lacio ni rizado. No era largo ni corto. No era rubio, pero tampoco era trigueño.

No importa cómo se mirara, Sofía de alguna manera siempre quedaba en el medio. Por orden alfabético según su nombre o por orden alfabético según su apellido. Por su fecha de nacimiento. Por la talla de su zapato. En cada carrera de velocidad, grupo de lectura o competencia de ortografía. ¡Siempre en el medio! ¡Qué aburrido!

Durante algunos años, fue la más joven en su familia. Pero cuando nació Max, su hermanito de dos años, Sofía volvió a quedar en el medio.

Para colmo, vivía en un pueblo de Virginia llamado Ordinary. ¡Uff!

Sofía intentó borrar estas cosas de su mente mientras la Sra. Moffly recorría el salón.

—Me temo que no terminé de leer sus cuadernos

este fin de semana —dijo la Sra. Moffly.

Desde un rincón del salón, Archie y Toby dijeron:

—¡La Sra. Moffly está en problemas!

—¡Basta! —dijo la Sra. Moffly sonriendo—. Y ustedes dos, por favor, siéntense. Como todos saben, mi hermana se casó y, bueno, no me alcanzó el tiempo. Por eso no les puedo entregar los cuadernos, así que durante los próximos quince minutos pueden leer el libro que acaban de escoger en la biblioteca o comenzar a hacer alguna tarea o jugar algún juego de mesa, tranquilos y en silencio.

Todos los chicos se alegraron, sobre todo Sofía, que sabía exactamente lo que iba a hacer.

Kate sacó su libro, *101 chistes toc toc*. Grace y Sydney se levantaron de sus asientos para jugar parchís en el suelo. Y Sofía fue a buscar un papel y el lápiz más afilado de la jarra. Luego, se recostó en su asiento y comenzó a practicar la caligrafía de su nuevo nombre.

Sofía la Fabulosa necesitaba una firma fabulosa, ¿no?

Sofía la Fabulosa.

¡Sofía la Fabulosa!

¡La Fabulosa Sofía!

Sofía analizó la página. Le encantaban los signos de exclamación.

Entonces, sintió que Kate la tiraba de la manga.

—Toc toc —dijo Kate.

Sofía suspiró. Estaba ocupada con sus asuntos de Sofía la Fabulosa, como cambiar el nombre en todas sus carpetas. Pero pensó que podía dedicarle tiempo a un chiste.

—¿Quién es? —dijo.

—Ben —contestó Kate.

—¿Qué Ben? —dijo Sofía.

—Ven y sal a jugar conmigo —respondió Kate a carcajadas.

—Muy bueno —dijo Sofía—. Tu chiste tiene la aprobación de Sofía la Fabulosa.

—¿Ese es tu nuevo nombre? —preguntó Kate asombrada—. ¿En serio?

—En serio —respondió Sofía.

—Ya —Kate hizo una mueca de duda—. ¿Estás segura?

—Por supuesto que estoy segura —dijo Sofía.

—¿Pero qué tienes tú de fabulosa? —preguntó Kate.

—¿Qué quieres decir? —dijo Sofía—. ¡Yo pensaba que tú eras mi mejor amiga!

—Y lo soy —respondió Kate pasándole un brazo alrededor de los hombros—. Eres además la amiga más fabulosa del mundo. Menos cuando tengo que oírte cantar —dijo y comenzó a reírse, pero se contuvo cuando vio que a Sofía no le había hecho ninguna gracia—. Por supuesto que puedes llamarte Sofía la Amiga Fabulosa, si quieres.

—No —dijo Sofía moviendo la cabeza—. Creo que Sofía la Fabulosa está mejor.

—No sé —insistió Kate—. Es que cuando dices que alguien es simplemente fabuloso te imaginas que sea una persona realmente fabulosa, en todos los sentidos.

—A lo mejor soy fabulosa en todos los sentidos —respondió Sofía y se volteó hacia el fondo del salón y señaló a Toby y a Archie, que se lanzaban piezas de ajedrez, dados y dominós—. Sé que, comparada con ellos, soy fabulosa —agregó y luego buscó su libro—. ¿Y qué te parece esto? Puedo dibujar animales. ¡Mira!

Abrió el libro en la página de los caballos y comenzó a dibujar cuidadosamente, paso por paso. Después le enseñó a Kate el fabuloso resultado final.

—¡Ta-ra-ta-tá! ¡Un caballo!

—Parece un gato —dijo Kate frunciendo el ceño.

—Sí, es verdad —asintió Sofía—. Creo que debería practicar más.

—Lo que quiero decir —retomó Kate—, es que si quieres que los demás te digan que eres fabulosa, sobre todo gente como esa —dijo señalando en dos direcciones, hacia Toby y a Archie y hacia Mindy y Lily Lemley, la amiga de Mindy—, vas a tener que demostrarlo.

Sofía miró a un lado y luego al otro. Kate tenía razón. Podía imaginar a Toby y a Archie burlándose de su nuevo nombre si no demostraba que lo merecía.

En cuanto a Mindy, si era capaz de robarle a uno un libro en la biblioteca no dudaría en robar un nombre fabuloso. De modo que Sofía debía ganarse su propio nombre.

Volvió a mirar el papel y pensó que para llamarse Sofía la Fabulosa necesitaba algo más que palabras escritas en una hoja.

Justo en ese momento, la Sra. Moffly dio unas palmadas:

—Llegó la hora de música —dijo.

Sofía se puso de pie, respiró profundo y miró fijamente a Kate.

—Está bien —dijo solemnemente—. Si necesito demostrar que soy fabulosa, eso es lo que haré.

CAPÍTULO 3

Como ya estaban en tercer grado, los niños del salón de Sofía podían caminar solos por el pasillo. Eso era un "privilegio", había dicho la Sra. Moffly. Esto hacía sentir a Sofía que ya era una chica grande y, además, era menos aburrido. Aunque solo un poco.

A Sofía le gustaba particularmente ser la primera en la fila. Por desgracia, esta semana le tocaba el turno a Jack. Ella podría ser fabulosa encabezando la fila. Además, Jack era demasiado lento a veces, y Sofía estaba desesperada por llegar a la clase de música para demostrar cuán fabulosa era. Casi no aguantaba las ganas de decirle, "¡Apúrate! ¡Apúrate!"

Sofía sabía que no sería fácil ser fabulosa en música, sobre todo porque había que "pronunciar bien las palabras".

A Sofía le gustaba cantar alto. Cerraba los ojos y abría la boca tratando de entonar lo mejor posible. La cosa es que nunca lo lograba. Le salían sonidos muy raros; tan raros, que los demás volteaban a mirarla. Eran sonidos que casi nunca se oían bien.

¡Pero hoy iba a cantar e iba a sonar fabulosa!

Entró en el salón y su cara se iluminó. A lo mejor ni tenía que cantar.

Miró todos los instrumentos que estaban dispersos por el suelo. ¿Cómo se le pudo olvidar? Era lunes, y los lunes era la clase de ritmo. Lo primero que pensó fue: "¡Fabuloso!".

—Buenos días, alumnos —dijo la Sra. Wittels, la profesora de música. Llevaba una blusa con un enorme lazo rosado. Era del mismo color del rubor de sus mejillas. Pero lucía elegante, como siempre.

—Buenos días —respondieron algunos estudiantes. El resto andaba entretenido con los instrumentos que estaban en el suelo.

—Por favor, no toquen los instrumentos hasta que yo lo diga —advirtió la Sra. Wittels.

—¡Ahhh! —dijeron algunos chicos.

En la clase de ritmo, nadie se sentaba en su puesto, sino que los chicos formaban un círculo gigante en el suelo. No había que decirle a la Sra. Wittels si la nota era do, re o mí o si era semicorchea, corchea o blanca. Cada uno tenía que tocar un ritmo diferente para que el resto de la clase lo siguiera. Y se podía tocar el instrumento que se quisiera: campanas, maracas, triángulos, platillos, cajas, panderetas, baterías, castañuelas o claves.

Y lo mejor de todo… ¡no había que cantar!

Sofía escogió los platillos más fabulosos del salón. ¡No necesitaba nada más!

—¿Listos para tocar algunos ritmos? —dijo la Sra. Wittels.

—¡Sí! —dijeron todos.

—¿Quién quiere empezar? —dijo la profesora.

—¡Ayy! —dijo Sofía levantando la mano—. ¡Yo, yo, Sra. Wittels!

Por supuesto que la Sra. Wittels no la señaló. A ella le gustaba que sus estudiantes entonaran notas musicales, no que hablaran tanto.

—Mindy —dijo, pasando la mirada por encima de Sofía—. Gracias por mantener tu mano levantada y en silencio. Por favor, toca un ritmo que todos podamos seguir.

Mindy se puso de pie sonriendo. Sofía viró los ojos. Entonces Mindy escogió un reluciente triángulo y tocó un suave tin, tin, tin, tan, tin, tin.

—Muy bien —dijo la Sra. Wittels, y levantó sus brazos como un director de orquesta. Era su señal para que el resto de la clase la siguiera.

Sofía hizo sonar los platillos. ¡Clan, clan, clan, clon, clan, clan! Sintió que había producido un sonido especialmente fabuloso.

—¿Qué fue eso? ¿Archie? ¿Toby? —dijo la Sra. Wittels al tiempo que buscaba a los chicos más indisciplinados de la clase.

—No fui yo —dijo Toby señalando su tambor.

—Fue Sofía M. —soltó Mindy—. Y ni siquiera lo hizo bien.

¡Grrrr! Sofía sintió ganas de darle un puñetazo.

—Sofía —dijo la Sra. Wittels—, por favor, no toques tan fuerte; vas a romper los platillos.

No lo podía creer. Ella había visto a Archie hacerlo peor. Movió los platillos con la esperanza de que no estuvieran dañados.

—Vamos a intercambiar los instrumentos, ¿les parece? —sugirió la Sra. Wittels—. Y Mindy, ¿por qué no escoges quién será el próximo en tocar un ritmo?

Todos pusieron los instrumentos en el suelo y algunos alzaron sus manos.

Pero a Sofía no le importó y buscó un nuev_ instrumento. Algo fabuloso, pero menos d_ de tocar. De todas maneras, ya sabía quié_ ser la elegida.

—Lily —dijo Mindy.

Por supuesto.

Lily Lemley no se parecía en nada a

VonBoffmann, pero intentaba parecérsele de todas las formas imaginables.

Todos los días se ponía una cinta en el cabello, como Mindy, y cuando veía que Mindy no llevaba una puesta, se quitaba la suya.

Usaba una media diferente a la otra, como Mindy. A pesar de que Sofía y Kate fueron las primeras en tener esa idea.

Tenía los mismos zapatos que Mindy, la misma mochila, la bolsita de la merienda con la foto del mismo programa de televisión y la misma camiseta de Disney World. Aunque Sofía sabía que Lily nunca había ido.

Lily sostuvo el triángulo que había escogido y tocó: tin, tin, tin, tan, tin, tin.

Era el ritmo que Mindy había hecho. Exactamente el mismo.

La Sra. Wittels movió la cabeza un poco desilusionada.

—Lily, ¿recuerdas que la semana pasada te dije que cada uno tiene que crear su propio ritmo?

—Sí, lo recuerdo —dijo Lily.

Todos esperaron. Luego, esperaron un poco más.

—¡Toca cualquier ritmo! —dijo la profesora.

Lily levantó su triángulo. Tin, tin... tin, tin, tin, tan, tin, tin.

—Perfecto —dijo la Sra. Wittels—. Y uno, y dos, y...

¡CLAN, CLAN... CLAN, CLAN, CLAN, CLON, CLAN, CLAN! Fue el ritmo que tocaron las claves de Sofía.

Miró a su alrededor orgullosa. Estaba segura de que esta vez lo había hecho bien. Pero nadie parecía impresionado. Entonces, a Sofía la asaltó una duda: ¿podía demostrar que era fabulosa por el solo hecho de copiar el ritmo de otra persona?.

Lo que debía hacer era esperar a que le llegara su turno. Y, por supuesto, su turno llegaba como de costumbre ni al principio, ni al final. De alguna manera, siempre era en el medio.

—Sofía M. —dijo Kate tan pronto terminó su turno.

Sofía sonrió y el corazón casi se le salió del

cuerpo. De pronto, se puso un poco nerviosa. Pero ya no había vuelta atrás. ¡Había llegado el momento de demostrar que era fabulosa! Agarró el instrumento que estaba mirando hacía rato.

—¿Segura que lo quieres tocar con ese? —dijo la Sra. Wittels.

Sofía agitó sus platillos y asintió con la cabeza. Claro que estaba segura. ¡Dejen que empiece a sonar el ritmo más extraordinario del mundo!

CLAN, CLAN.

—Sofía —gritó la Sra. Wittels.

Sofía se detuvo con una sonrisa de oreja a oreja.

¡La Sra. Wittels se había dado cuenta de que era fabulosa! ¡Y eso que ni siquiera había terminado!

Sofía hizo un ¡CLAN! oficial. Observó a todos sus compañeros de clase y supuso que estaban demasiado impresionados por su talento para aplaudir. Pero cuando miró bien, se dio cuenta de que todos tenían las manos en los oídos... incluso Kate.

—¡Sofía! —dijo la Sra. Wittels—. Por favor, pon los platillos en el suelo. Ya fue suficiente.

Sofía miró a su profesora. Su rostro estaba completamente pálido, menos los círculos rosados en sus mejillas. Todo su cuerpo temblaba, incluso el lazo rosado.

Lentamente, Sofía hizo lo que le pidió, preguntándose si la Sra. Wittels había quedado sorprendida con su fabulosa actuación... Algo en su estómago le decía que no.

—¿Ahora tenemos que repetir su ritmo? —preguntó Toby abalanzándose sobre los platillos.

—¡No! —gritó la Sra. Wittels mientras alejaba los platillos—. Creo que ya es suficiente ritmo por hoy. Todavía faltan diez minutos para que termine la clase, vamos a sentarnos tranquilos a esperar que pasen, ¿está bien?

—¡Pero yo no he tocado un ritmo todavía! —protestó Jack.

—¡Ni yo! —dijo Grace.

—La próxima semana comenzaremos con ustedes —respondió la Sra. Wittels.

—Muchas gracias, Sofía —gimió Dean.

Sofía suspiró y bajó la mirada. Quizás no era tan fabulosa... en música.

Pero no importaba. Todavía tenía diez minutos para que se le ocurriera algo genial.

CAPÍTULO 4

—¡Cuidado! —gritó Sofía—. ¡Abran paso!

Al fin había terminado la clase de música. Esos últimos diez minutos habían parecido un año. Pero ahora sus compañeros iban de regreso al salón, y Sofía iba camino a algo fabuloso. De eso estaba segura.

Se sujetó del pasamanos de la escalera y saltó hasta abajo.

—¡Ay! —protestó alguien.

—Disculpa —dijo Sofía.

No hubiera querido aterrizar sobre el pie de Sofía A. Pero, ¿acaso Sofía A. había visto desde dónde había saltado?

—¿Viste desde dónde salté? —preguntó Sofía.

—No —respondió Sofía A.

—Yo sí lo vi, y no fue nada del otro mundo —dijo Toby, trotando por las escaleras tras ellas. Se sujetó del mismo pasamanos y saltó—. ¡Miren esto!

Subió las escaleras corriendo y volvió a hacerlo.

Sofía le puso una cara de "te voy a enseñar" y subió de nuevo la escalera.

—Ya dejen de hacer eso —dijo Grace. Ella era el "furgón de cola" esa semana. Eso quiere decir la última en la fila de la clase—. Ustedes saben que no deben jugar en las escaleras.

—Exacto —añadió Mindy, que no era el furgón de cola. Sofía pensó que Mindy no tenía por qué abrir la boca, pero ella nunca se quedaba callada—. Basta ya o se lo digo a la Sra. Moffly cuando lleguemos al salón.

—Yo también —dijo Lily.

—Por culpa de ustedes vamos a perder el privilegio de caminar solos por los pasillos —añadió Mindy.

—Sí, por culpa de ustedes —dijo Lily.

Pero Sofía no estaba jugando en las escaleras sino

que estaba tratando de demostrar una hipótesis: ella era fabulosa… saltando las escaleras.

—¡Atiendan todos! —llamó—. ¡Miren esto!

—No lo hagas. Mindy y Lily te advirtieron —dijo Kate en voz baja.

Pero Sofía no le hizo caso. Subió hasta el cuarto escalón. Esperó hasta que casi todos la miraran y saltó.

—¡Ta-ra-ta-tá!

Toby la siguió.

—¡Ta-tán! Cualquiera puede hacer eso —dijo.

"¿Ah, sí?", pensó Sofía. Subió hasta el quinto escalón, pero Toby ya estaba ahí.

—¡Ay, caramba! —gritó Toby al saltar—. Desde el quinto escalón. Nuevo récord en la escuela. ¡Rómpelo, Sofía!

—Chicos —dijo Grace—, por favor.

Pero Sofía no estaba dispuesta a darse por vencida y subió hasta el sexto escalón.

—¿Qué haces? —preguntó Kate.

—¡Atiendan! —dijo Sofía levantando los brazos—. Estoy a punto de realizar el salto más fabuloso de la historia.

—¿Estás loca? —dijo Kate—. Tú no puedes saltar seis escalones. ¡Te vas a romper un hueso!

—Te vas a buscar un problema —dijo Mindy.

—¡Puedo hacerlo! —dijo Sofía.

Entonces cometió el grave error de mirar hacia abajo. ¿En qué estaba pensando? Seis escalones era demasiada distancia. Pero si se daba por vencida, jamás iba a demostrar que era fabulosa. Cerró los ojos y... ¡un momento! ¿Cómo iba a hacer eso? ¡Necesitaba mirar! Abrió los ojos y saltó.

La buena noticia es que cayó de pie. La mala noticia es que se tambaleó y cayó sobre su trasero. ¡Ay! Esos resbalosos zapatos nuevos. ¡Uff! Eso dolió. Y mucho.

Sofía no quería llorar, pero le fue imposible evitarlo cuando miró a Kate arrodillada junto a ella.

—¿Quieres que te acompañe a la enfermería? —preguntó Kate suavemente.

—Creo que sí —dijo asintiendo con la cabeza y sollozando. Y no solo porque le dolía el golpe, sino para alejarse de todos, especialmente de Archie y de Toby.

—¡Ja, ja! —rió Toby mientras chocaba la palma de

la mano con Archie—. Los aterrizajes forzosos no cuentan. ¡El récord sigue siendo mío!

Sofía lo miró fijamente. Su buena amiga Kate le sacó la lengua y luego ayudó a Sofía a ponerse de pie.

—Quítense del medio —dijo Kate—. ¿Alguien le puede decir a la Sra. Moffly que voy a acompañar a Sofía a la enfermería?

—De acuerdo, se lo diremos —dijo Mindy sonriendo con aires de suficiencia.

Kate sujetó la mano de Sofía y la ayudó a subir las escaleras hasta la enfermería.

—Sofía, toc toc —dijo Kate.

—¿Quién es? —respondió Sofía sonriendo.

—Félix.

—¿Qué Félix?

—Felixmente no te rompiste un hueso.

Sofía volvió a sonreír. Le alegraba no haberse roto nada ni tener que regresar todavía al salón y ver a la Sra. Moffly. Además, necesitaba tiempo para pensar qué otra cosa fabulosa podía hacer.

Kate la dejó en la enfermería. La Sra. Frost, la

enfermera, cruzó los brazos cuando la vio. Tenía que dar una buena explicación, pero ya se le ocurriría algo.

—Bueno, Sofía Miller, ¿qué te pasó? —preguntó la enfermera.

—Yo… esto… me caí en las escaleras —respondió Sofía.

—No estarías saltando —dijo la Sra. Frost.

Sofía infló las mejillas.

—A ver, ¿dónde te duele? —preguntó la enfermera.

Sofía señaló hacia atrás y la enfermera se acercó para mirar. Le pidió que se inclinara, se arrodillara y girara.

—Parece que todo está bien —dijo la enfermera—. ¿Quieres que llame a tus padres?

Sofía lo pensó por un minuto y negó con la cabeza. En realidad se sentía bien y no quería que su día terminara así. Se había propuesto firmemente ser fabulosa, y no se iba a dar por vencida.

—¿Podría acostarme un rato? —preguntó. Eso le daría tiempo para pensar… y para que su cara no luciera tan sonrojada.

La enfermera dejó que Sofía se acostara bocabajo en la camilla del rincón. Era un poco incómoda, pero por lo menos estaba limpia. Trató de no pensar en todos los vómitos que seguramente habían caído allí (como el de ella, el año anterior, el día después de Halloween).

De repente, sintió algo frío por detrás y saltó.

—Una bolsa de hielo —explicó la enfermera—. Quédate tranquila. ¿Necesitas otra?

—No, gracias —respondió Sofía. Con una ya tenía suficiente frío.

Allí permaneció durante unos minutos, tratando de imaginar otras maneras de ser fabulosa. Pero el frío que sentía no la dejaba pensar claramente.

Sofía miró el enorme reloj blanco de pared. Las doce en punto. Su estómago estaba gruñendo.

—¿Sra. Frost?

—¿Sí? —respondió la enfermera—. ¿Quieres otra bolsa de hielo?

—No —dijo Sofía—. Estaba pensando que ya me siento mejor. ¿Puedo ir a almorzar?

—Está bien —dijo la enfermera mientras recogía la bolsa de hielo y ayudaba a Sofía a ponerse de pie—. Entonces, ¿qué lección aprendiste hoy?

Sofía se frotó los pantalones.

—Creo que aprendí que mi trasero no es tan resistente.

CAPÍTULO 5

Sofía todavía se sentía un poco adolorida cuando entró en la cafetería; pero el olor a comida y su amiga Kate la animaron.

—¡Sofía! —dijo Kate desde la fila—. ¡Aquí, Sofía!

—¡Discúlpame! —dijo Mindy, que estaba detrás de Kate—. No se vale colar a nadie.

—Exacto —dijo Lily, que estaba detrás de Mindy—. No se vale.

—Yo estaba guardándole el puesto —dijo Kate y tomó a Sofía por el brazo y la puso delante de ella—, así que no la estoy colando. Además, denle

39

un chance. ¿Cómo te sientes, Sofía?

—Fabulosa —respondió Sofía fingiendo una sonrisa.

—Está bien —protestó Mindy—. Te vamos a dar un chance, Sofía, porque sabemos que la Sra. Moffly no te lo dará —dijo riendo, y Lily, como siempre, la secundó.

Sofía miró a Kate. Ya no se sentía nada fabulosa.

—¿Me metí en un lío, verdad? —murmuró.

Kate se mordió los labios y encogió los hombros.

—En realidad, todos estamos en problemas. La Sra. Moffly dijo que no tendríamos privilegios en lo que queda de la semana.

Sofía suspiró. Era una pésima noticia, no solo porque le encantaba caminar sola por el pasillo, sino porque le iba a costar mucho más trabajo demostrar que era fabulosa.

—Toc toc —dijo Kate, pasándole una bandeja.

—¿Quién es? —respondió Sofía.

—Mercedes.

—¿Qué Mercedes?

—¿Mercedes una cajita de leche, por favor? —dijo Kate riendo.

Sofía también rió un poco. Estaba feliz de tener una amiga que la animara tanto como Kate.

—¡Sigan avanzando! —gritó Grace desde el final de la fila.

Sofía le alcanzó a Kate la cajita de leche y la señora que sirve el almuerzo le entregó a Sofía un plato lleno de palillos de pescado y papas fritas.

Sofía simuló una sonrisa. ¿Palillos de pescado? ¿Cómo algo tan desabrido podía oler tan rico? Ese era el almuerzo menos fabuloso que ella podía imaginar.

Puso el plato en la bandeja y agarró un panecillo y un plato de zanahorias.

En ese momento se le ocurrió una brillante idea… ¡algo fabuloso!

—¡Dame tu bandeja! —le dijo a Kate, quitándosela antes de que su amiga pudiera impedirlo—. Sydney, dame tu bandeja también.

—¿Eh? —dijo Sydney, que estaba a punto de salir

caminando.

—Quiero decir, ¿me permites llevar tu bandeja hasta la mesa? —dijo Sofía con una sonrisa servicial —. Y tú también, Sofía A.

—¿Por qué? —preguntaron las chicas al unísono.

—Porque las quiero ayudar —respondió Sofía—. Además, llevar cuatro bandejas a la vez es algo fabuloso, ¿no creen?

Miró a Kate sonriendo. Si hubiera podido, también le hubiera guiñado un ojo. Qué lástima que cada vez que lo intentaba parecía que tenía algo atascado en el ojo.

—¿Estás segura que puedes hacerlo? —preguntó Sydney.

—¡Por supuesto! —dijo Sofía.

Puso la bandeja de Kate en su brazo izquierdo y la equilibró sobre el codo. Después puso la bandeja de Sydney en la mano izquierda y la de Sofía A. en la derecha. ¡Uy! Trató de no quejarse. Las bandejas eran mucho más pesadas de lo que pensaba.

—¿Puedes poner mi bandeja aquí? —le pidió a Kate.

—¿Así? —dijo Kate mientras trataba de equilibrar la bandeja en el antebrazo derecho de Sofía.

—Perfecto.

—¿Estás segura de que puedes hacerlo? —insistió Sydney.

—Claro que puedo —dijo, aunque tenía sus dudas.

En realidad, hasta podría llevar cinco bandejas. ¡Una más en la cabeza! Como una mujer que apareció en la televisión llevando un tinajón de agua en el desierto. Pero miró alrededor y la quinta bandeja sería la de Mindy.

Cuatro bandejas ya era fabuloso.

—¡Arriba! ¡Allá voy! —dijo Sofía.

Cuando se dirigió a la mesa en que solían sentarse, sintió que sus brazos comenzaron a temblar, pero su cabeza se mantuvo siempre alta. Esperaba que todos en la cafetería se dieran cuenta de lo que estaba haciendo, que dejaran de comer y miraran impresionados. Esperaba que todos gritaran: "¡Fabuloso!".

Pero nadie lo hizo.

Entonces pensó que necesitaba ser un poco más insistente.

—¡Abran paso! —comenzó a gritar—. ¡La comida está hirviendo! ¡Cuidado!

De pronto, Dean atravesó su silla frente a ella.

—En serio, ¡cuidado! —repitió Sofía.

—No, ten cuidado tú —dijo Dean quitando la silla.

—¿Qué haces? —preguntó Jack, que estaba sentado al lado de Dean.

Finalmente Sofía llegó a la mesa y dijo sonriendo:

—¡Traigo cuatro, cuéntalas, cuatro bandejas!

Sofía quería inclinarse, pero obviamente no podía. Entonces trató de poner las bandejas sobre la mesa, pero tampoco pudo.

El minuto en que se inclinó hacia delante, los platos comenzaron a deslizarse, los cubiertos empezaron a rodar y las cuatro bandejas se tambalearon incontrolablemente.

—¡Ayúdame, Kate! —gritó Sofía.

Kate agarró la bandeja de Sydney y la puso en la mesa. Sofía A. y Sydney sujetaron las otras… ¡justo a tiempo!

Con el corazón a todo galope, levantó sus manos y miró a los que estaban a su alrededor.

—¿Entonces? ¿No les pareció… fabuloso?

Ella pensó que comenzarían a gritar y aplaudir. Pero nadie lo hizo.

—¡Pero si por poco se te caen todas! —dijo Sofía A. alzando las cejas.

—Derramaste mi plato de zanahorias —dijo Sydney.

—¿Y qué tiene de fabuloso llevar cuatro bandejas? —preguntó Mindy, que venía tras ellas con su bandeja—. Anoche fui a un restaurante muy elegante para celebrar el cumpleaños de mi abuela y el mesero llevaba cinco platos a la vez —se volteó hacia Sofía con una sonrisa, de esas que no enseñan ni los dientes—, ¡y sirvió el postre flameado!

—¿En serio? —preguntó Kate—. ¿Así, con fuego?

Sofía le dio un codazo a Kate.

—Perdón —dijo Kate—, pero eso suena fabuloso.

—¿Saben qué más es fabuloso? —dijo Toby de repente. Estaba sentado en la mesa de los chicos y tenía una mano llena de papas fritas—. ¡Observen esto!

Abrió la boca tanto como le era posible y comenzó a llenarla de papas fritas.

—Una... dos... tres... —contó Archie.

Muy pronto todos los chicos se unieron al conteo, en voz baja para que el monitor no alcanzara a oírlos.

—Veintiuno... veintidós... ¡veintitrés!

Toby alzó los brazos. Eso era todo lo que podía hacer con la boca repleta de papas.

—¡Veintitrés! —gritó Archie.

—¡Es un récord! —dijo Jack.

—¡Eso es asqueroso! —dijo Mindy.

—¡No, eso es fabuloso! —dijo Dean.

Toby, por supuesto, no dijo nada. Parecía contento, pero también incómodo. Casi ni podía masticar.

¿Fabuloso? ¿Toby? ¡Sofía no lo podía creer!

Se sentó y agarró sus papas, y las de Kate también, y comenzó a ponerlas una por una en su boca.

—Cuenta —dijo a Kate.

—Uh, uno… dos… tres… —comenzó Kate.

El resto de las chicas se unieron.

—Once… doce… trece…

Los niños también comenzaron a contar.

—Dieciocho… diecinueve… veinte…

Sofía agarró otra papa y la metió en su boca. Quería masticarlas, pero ya estaba muy cerca, ¡no podía detenerse ahora! Si eso era lo que había que hacer para ser fabulosa, entonces ella tenía que hacerlo.

—Veintiuno… veintidós… —las voces fueron subiendo.

Sofía agarró otra papa. ¿Qué importaba si su mandíbula ya no daba más? ¡Ella iba a batir el récord de Toby!

¡Estaba a punto de ser fabulosa!

Quería sonreír, pero no podía. Entonces agarró la papa frita número veintitrés.

—¡Esa no se vale! —gritó Toby, que ya tenía vacía la boca—. ¡Es muy pequeña!

—¡Es verdad! —asintió Archie.

Sofía quería fruncir el ceño, pero no podía. Tuvo que conformarse con mirar a Toby y Archie.

Entonces tomó otra papa frita y comenzó a meterla en su boca.

—Veintitr...

De pronto se hizo un silencio absoluto, como si alguien les hubiera bajado el volumen o... había algo más que podía silenciar la cafetería.

Sofía se volteó lentamente y vio al director Tate.

¡Ay, no!

—**S**rta. Miller —dijo el director mirando seriamente a Sofía—. ¿Debería recordarle la importancia de los buenos modales en la mesa?

Sofía lo miró con la boca llena de papas fritas y los ojos desorbitados. El director nunca antes había tenido que dirigirle la palabra, pero ella sí lo había visto hablar con otros niños (como Toby y Archie) muchas veces. Por eso sabía que cuando él preguntaba algo, era mejor responderle.

¿Pero cómo iba a responderle si tenía veintitrés papas fritas en la boca? Entonces se le ocurrió decir que no moviendo la cabeza.

—No lo creo —dijo el director Tate—. Y espero que tampoco necesite recordarle las consecuencias de los malos modales.

¡Consecuencias! Esa no era una de las palabras favoritas de Sofía.

—Como pasarse el recreo sentada —continuó el director. Levantó una ceja, y luego la otra.

¿Cómo lo hizo? ¿Y cómo se iba a deshacer de todas esas papas? ¿Se las tragaba? No. ¿Las escupía? Eso hubiera querido.

Movió la cabeza de nuevo y sintió una gota de saliva corriendo por su barbilla.

—Sé que no te gustaría —dijo el director—. Ni a mí tampoco. Por eso te recomiendo que, con mucho cuidado, saques ese exceso de papas fritas de tu boca. Y que a partir de ahora, las comas como se debe: una detrás de otra.

Sofía asintió con la cabeza, y el director respondió con el mismo gesto.

—Muy bien, Srta. Miller —dijo—. Que disfrutes el almuerzo.

51

Sofía no disfrutó su almuerzo, de ninguna manera. No disfrutó que todos se rieran de ella. Y tampoco disfrutó la pila de papas fritas cubiertas de saliva.

Solo quería que se acabara la hora del almuerzo y llegara el recreo. Pero todavía no había sido fabulosa, y le resultaba difícil sentirse bien sin serlo.

—¡Ven! —dijo Kate mientras salían al patio—. Vamos a jugar nuestro juego favorito.

Todos los días, durante dos semanas, Kate y Sofía habían estado jugando el mismo juego en el recreo: Superespía Internacional y Veterinario de Emergencia de Animales Salvajes.

Sofía siempre esperaba la hora del recreo para jugar. Kate era la veterinaria, especialista en felinos y delfines, y Sofía era la espía en complicados casos secretos.

Pero hoy no.

—No puedo jugar. Necesito pensar —dijo.

—¿Pensar? ¿En qué? —preguntó Kate.

—En cómo ser fabulosa.

—Está bien —dijo Kate—. ¿Qué te parece Sofía, la Bocaza? ¿Sabes por qué? Papas fritas, boca enorme.

—Muy simpática —suspiró Sofía—. Pero pude haber establecido un nuevo récord. Además, Sofía la Fabulosa es mi nombre ideal. Solo necesito encontrar la mejor manera de ser fabulosa. Algo que no me cause más problemas.

Mientras hablaba, observaba alrededor del patio: los árboles, el camino de piedra, la zona de recreo...

¡La zona de recreo! ¡Claro! ¡Allí había miles de maneras de ser fabulosa!

Se dirigió hacia allá y Kate la siguió.

La zona de recreo había sido renovada ese año. Tenía un tobogán recto y otro con curvas, una cuerda para saltar, una pared de roca y una escalera, una espiral y un tubo para bajar como el de los bomberos, además, tenía barras para colgarse, y no una, sino dos torres sobre pilotes a cada lado.

Sofía era muy buena en el gimnasio y, si lo intentaba, podría ser fabulosa.

Saltó y se sujetó de las barras. Luego de varios intentos, se impulsó y miró felizmente desde arriba. ¡Fabuloso!

—¡Oigan, miren aquí! —dijo—. Miren qué alto estoy. ¿No es fabuloso? ¡Observen!

Pero nadie la escuchaba. Los chicos que jugaban baloncesto estaban demasiado ocupados y las chicas que estaban saltando la cuerda hacían mucho ruido.

—¿Qué hay que mirar? —dijo Kate, que estaba a su lado.

—¿Cómo llegaste aquí? —preguntó Sofía.

—Te seguí.

—Pero no se supone que me sigas. Estoy tratando de hacer algo fabuloso.

—Ah —dijo Kate mirando alrededor—, entonces debes intentar subir un poco más alto. Hasta aquí es muy fácil.

—Ah —dijo Sofía. Estaba segura de que Kate tenía razón. Recorrió toda la zona de recreo con la vista—. ¿Y si me subo en la torre?

Eso no sería fácil. De hecho, era tan difícil que

nadie lo había hecho antes. Sofía sería la primera. ¡Y eso sería fabuloso!

—Umm, no lo sé —dijo Kate.

En ese momento escucharon a alguien que los llamaba desde abajo. Era Ben.

—¡Kate¡ ¡Sofía! ¿Quieren jugar a corre que te pillo?

Ben era el compañero de salón favorito de Sofía. Sobre todo porque casi siempre era cortés con las chicas, pero también porque usaba unos anteojos muy simpáticos y en su casa tenía un juego de hockey de mesa espectacular. Además, no andaba mucho con Toby. Esa era su mayor virtud.

Ben estaba jugando con Eve y Mia.

—El tobogán es zona segura —dijo Ben.

—¡No me alcanzarán! —gritó Kate—. ¡Anda, Sofía, vamos!

—Ahora no —respondió Sofía.

—¿Por qué no?

—Porque tengo un plan —dijo señalando el techo de la torre—. No puedo perder tiempo en persecuciones. En ese juego nadie puede ser fabuloso.

—¿No? —dijo Kate, mirando el techo de la torre—. Además, ¿no te parece un poco peligroso? ¿Y si te vuelves a caer?

Sofía se mordió una uña. Kate podría tener razón. ¿Pero qué hay con lo de ser fabulosa? ¿Y por qué esas chicas que jugaban a saltar la cuerda no se callaban? El ruido la desconcentraba.

Mindy, Lily, Sofía A., Sydney y Grace estaban saltando y cantando al mismo tiempo. A Sofía le gustaba saltar la cuerda... pero ellas lo hacían todos los días. Las miró y luego sonrió.

¡Ya lo tenía!

Le dio un abrazo a Kate y se bajó de las barras.

—Ve con ellos —dijo—. Yo voy a saltar la cuerda.

Sydney estaba saltando cuando Sofía llegó al grupo.

—Cuarenta y uno... cuarenta y dos... cuarenta y... ¡ay, qué pena! —dijeron Lily, Sofía A. y Grace cuando Sydney tropezó con la cuerda.

—¡Me toca a mí! —dijo Mindy.

—Hola, chicas —dijo Sofía—, ¿puedo saltar?

—Claro —dijo Sydney moviéndose para abrirle paso a Sofía.

—¡Quítate! —dijo Mindy—. Dije que me tocaba a mí.

—Pero ya saltaste una vez —dijo Sydney—. Sofía M. acaba de llegar.

—Bueno, está bien —dijo Mindy encogiendo los hombros—. De todas maneras, su turno siempre pasa muy rápido.

Normalmente, ese comentario hubiera molestado a Sofía. Pero esta vez sonrió. Ella sabía algo que Mindy ni siquiera sospechaba: estaba a punto de batir el récord de Mindy.

—Oye, Mindy —dijo Sofía mientras se posicionaba—. ¿Cuál es tu récord?

A Mindy, que sostenía la cuerda en un extremo, se le iluminó la mirada.

—¡Ciento treinta y cuatro! —dijo Lily, que sostenía el otro extremo.

—Exactamente —afirmó Mindy.

Por supuesto, todos lo sabían. Mindy se

pasaba todo el tiempo recordándolo. Ella había establecido el récord el año anterior y nadie en el salón había podido batirlo. Todavía. Pero si Sofía lo hacía, sería oficialmente fabulosa. Hasta Mindy tendría que admitirlo.

Sofía respiró profundo. Recordó todas las veces que ella y Kate habían saltado la cuerda en casa. En esas ocasiones, cada una usaba su propia cuerda y pasaban horas saltándola. Sofía estaba segura de que alguna vez saltó la cuerda más de ciento treinta y cuatro veces.

—¡Lista! —dijo.

Mindy y Lily comenzaron a mover la cuerda y Sofía empezó a saltar.

Sofía trató de concentrarse. Algunas veces no había logrado saltar mucho, pero ese día sentía sus piernas ligeras.

"¡Puedes lograrlo!", se decía.

Las otras niñas hicieron un círculo y comenzaron a contar. La cuenta cada vez era más alta.

Veintiuno… veintidós… veintitrés…

Pero Sofía acababa de empezar.

☆　　☆　　☆

Ochenta y uno... ochenta y dos... ochenta y tres...

—¡Bravo, Sofía! —dijo Sydney—. ¡Oigan, vengan todos a ver a Sofía! ¡Está llegando a cien!

—¡Arriba, Sofía A.! —gritaron varias niñas que venían corriendo.

Sofía casi se detiene para corregirlas, pero enseguida se dieron cuenta de quién era.

—¡Miren, es Sofía M.! —dijeron.

Sofía no podía dejar de sonreír a medida que más niños comenzaban a acercarse.

Todos la animaban gritando:

—¡Arriba, Sofía M.! ¡Arriba!

Y Sofía lo hizo. Saltó y saltó como nunca antes. Pasó de cien. Estaba a punto de establecer el nuevo récord.

Ciento treinta... ciento treinta y uno... ciento treinta y...

Entonces la cuerda se le enredó en la pierna.

—¡Me toca a mí! —dijo Mindy inmediatamente.

—¡Me hiciste tropezar! —gritó Sofía.

—¡No lo hice! —respondió Mindy.

Sofía podía jurar que la vio sonreírle a Lily. Esa era la prueba. Mindy la había hecho tropezar a propósito.

—Quiero hacerlo de nuevo —dijo Sofía.

—¡Terminó el recreo! Hora de regresar al salón —dijo la Sra. Moffly de repente.

—Ya oíste lo que dijo la Sra. Moffly. No quieres buscarte otro problema —dijo Mindy con demasiada dulzura.

—Pero... —dijo Sofía.

Pero nada. Era demasiado tarde.

Mindy y muchos de los niños ya se habían ido corriendo.

Kate pasó su brazo por encima del hombro de Sofía.

—No te preocupes —dijo—. Mañana podrás batir el récord. ¡Mira qué cerca estuviste!

Sí, estuvo muy cerca. Pero eso no era suficiente para Sofía.

"Cerca" no era lo mismo que "fabulosa". Absolutamente no.

CAPÍTULO 7

Sofía fue la última en llegar al salón 10 después del recreo. En parte porque sus piernas se sentían flojas como unos palillos de pescado; y en parte porque el salón 10 era el último sitio donde quería estar.

Prefería estar afuera, saltando la cuerda y siendo fabulosa. Definitivamente no quería estar en el salón, escuchando a la Sra. Moffly nombrar todos los problemas en los que estaba metida.

En momentos como estos, Sofía deseaba estar de nuevo en segundo grado. Extrañaba mucho a su profesora, la Sra. Cruz. Y no era que la Sra. Moffly fuera mala. No era eso exactamente. Pero tenía muchas reglas para los estudiantes de tercer grado.

—Al fin llegas, Sofía —dijo la Sra. Moffly. Estaba esperándola en la puerta del salón—. Creo que tenemos algo de qué hablar.

—Sí, Sra. Moffly —suspiró Sofía.

Miró los zapatos de la profesora. Eran azules brillantes y tenían un pequeño tacón.

—¿Estuviste saltando en la escalera? —preguntó la Sra. Moffly.

—Sí —respondió.

Sofía pensó qué bonito sería tener unos zapatos como los de la Sra. Moffly.

—Y espero que ahora entiendas por qué eso va en contra de las reglas.

—Sí —volvió a decir Sofía.

También le gustaría tener esos zapatos en verde, o quizás en rojo.

—Espero que la próxima semana cuando vuelvas a tener el privilegio de caminar por los pasillos, esto no vuelva a suceder —dijo la Sra. Moffly.

—Sí —dijo Sofía—. Quiero decir, no. Quiero decir… ¿cuál era la pregunta?

—Me alegro que no te haya pasado nada y... no más saltos en la escalera —dijo, agachándose hasta quedar frente a frente con ella.

Sofía asintió con la cabeza y le devolvió la sonrisa.

—Entonces —dijo la Sra. Moffly dirigiendo a Sofía hacia el salón—, es hora de comenzar a trabajar. Bien, alumnos, siéntense correctamente y saquen sus cuadernos. Archie y Toby, por favor, siéntense. Esta semana haremos entrevistas, ¿lo recuerdan?

¡Cierto! Sofía lo había olvidado. La semana anterior había visitado la clase la mamá de Sydney para hablar sobre su trabajo. Era reportera de un periódico y entrevistaba a muchas personas; o sea, que era alguien que hacía muchas preguntas. A Sofía le parecía un trabajo muy divertido. Lo mejor, según la mamá de Sydney, era cuando un reportero tenía una "exclusiva", que quiere decir tener una noticia que nadie más tiene.

A la Sra. Moffly le parecía bien el trabajo de reportero, tanto, que pensó que la clase debería tener una experiencia parecida. Por eso pidió que prepararan para el viernes algunas preguntas para los compañeros de la clase. ¿Y qué mejor día para que Sofía fuera entrevistada que el día en que se convertiría en Sofía la Fabulosa? O al menos en el que estuvo muy cerca de serlo.

Agarró su cuaderno, anotó una pregunta más y fue corriendo a donde estaba Kate. Por supuesto que ellas se entrevistarían mutuamente. Ella le daría a Kate una exclusiva fabulosa.

—No tan rápido —dijo la Sra. Moffly—. Ya elegí las parejas que se entrevistarán. Grace, tú lo harás con Ben. Sofía A., tu pareja será Kate. Sofía M., tú lo harás con Toby…

Después de esto, Sofía no escuchó ni una palabra más.

¿Toby? ¡Toby! ¡No! Si Sofía ni siquiera podía *ver* a Toby, ¿cómo podría entrevistarlo?

Miró hacia el escritorio de Toby. Estaba haciéndose el que iba a vomitar.

No. Esto no iba a funcionar. Para nada. Se enderezó y caminó hasta el escritorio de la Sra. Moffly.

—Este… Sra. Moffly, necesito otra pareja.

—¿Cómo? —dijo la Sra. Moffly.

—Es que usted me puso con Toby y yo no lo puedo entrevistar.

—¿Que no puedes? —preguntó la Sra. Moffly—. ¿Por qué no?

"¿Por qué no?", pensó Sofía. No sabía por dónde empezar.

—Porque nosotros no nos hablamos —dijo por fin.

—Ah, sí, me he dado cuenta —dijo la Sra. Moffly—. Pero esa es la mejor parte, ¿no crees? Así podrán conocerse mejor.

—Oh, no, yo lo sé todo sobre él —dijo Sofía moviendo la cabeza.

Y lo sabía. Ella sabía que Toby era un enorme dolor de cabeza.

—Ya veo —dijo la Sra. Moffly—. Pero te aseguro que hay algunas cosas que todavía no sabes…

—No, no las hay —dijo Sofía con tranquilidad—. Estamos en el mismo salón desde preescolar —volvió a mirar a Toby, se volteó hacia la Sra. Moffly y susurró—: antes éramos muy buenos amigos.

Sofía no lo había dicho, pero algo había sucedido el año anterior. Toby había dejado de hablarle y había comenzado a burlarse de ella. Ahora parecía como si la odiara. Aunque Sofía no hiciera nada para merecer semejante trato. Por eso lo odiaba.

A pesar de todo, Sofía sabía todo sobre Toby. Sabía que su color favorito era el rojo, que le encantaba el helado de pistacho y no le gustaba el de chocolate, cuándo se había hecho la cicatriz del cuello y, lo más importante, conocía el mayor secreto de su familia: ¡su primo, Dylan, tenía once dedos!.

Pero sobre todas las cosas, sabía que Toby era un enorme dolor de cabeza.

—No existe nada —insistió— que yo no sepa de Toby.

—Ya veo —dijo la maestra llevándose un dedo a la barbilla. A Sofía le encantó el esmalte rosado de sus uñas—. Entonces vamos a comprobar cuán buena reportera podrías ser, Sofía. Trata de descubrir algo que no sepas.

La Sra. Moffly miró a Sofía y sonrió.

Era la misma sonrisa de su mamá cada vez que le daba una nueva tarea.

Sofía se dio la vuelta y puso mala cara. No podía creerlo. ¿Ahora cómo podría ser fabulosa si le había tocado la peor pareja de la clase?

CAPÍTULO 8

Sofía se dejó caer en el escritorio al lado de Toby. Observó las preguntas en su cuaderno, pero no dijo una palabra.

—Adelante, empieza —dijo Toby.

—Está bien, está bien —dijo Sofía. Ella se sabía todas las respuestas, pero como la Sra. Moffly estaba mirando, tuvo que comenzar—. ¿Tu color favorito?

—Rojo —respondió él.

Sofía suspiró con aburrimiento y luego preguntó por su helado favorito.

—Chocolate.

—¿Qué? —dijo, pensando que había escuchado mal.

—Chocolate —repitió Toby.

—Pensé que odiabas el chocolate.

—Ya no —dijo Toby.

Sofía anotó "choco" y frunció el ceño. Parecía que algo no estaba bien, pero continuó.

—¿Tienes alguna mascota? —preguntó y pensó en los dos gatos y el perro de Toby.

—Dos gatos —respondió.

—Y un perro —añadió Sofía entornando los ojos.

—No, solo dos gatos —dijo Toby moviendo la cabeza. Bajó la mirada y suspiró profundamente—. Barnaby... murió este verano.

—¿En serio? —dijo Sofía—. Ay, lo siento mucho.

Ese buen amigo peludo, Barnaby. ¿Muerto? Ella no lo sabía.

—Ya estaba muy viejo —dijo Toby—. ¿Terminaste?

—No, espera —dijo Sofía. Trató de leer la siguiente pregunta, pero le costó trabajo. Todavía estaba un poco aturdida—. A ver, ¿qué quieres ser cuando seas grande? ¿Pelotero, verdad?

—A lo mejor —respondió Toby—, o quizás reportero.

—¿En serio? —dijo Sofía sin poder cerrar la boca—. ¡Yo también!

—Pero a lo mejor no —añadió Toby, y entonces hizo una mueca y echó la silla hacia atrás—. Ahora me toca a mí.

—¡Espera!

Sofía miró su papel.

Todavía le faltaba hacer la pregunta que había acabado de añadir: ¿Quién es la persona más fabulosa que conoces?.

Era la pregunta perfecta para Kate, su mejor amiga. Pero no para Toby.

—Acaba de hacer la pregunta.

—No, ya terminé —murmuró Sofía—. Hazme las tuyas.

Toby sonrió. Por supuesto que tenía listas varias preguntas:

¿Cuál es tu equipo favorito de fútbol?

¿Cuál es tu equipo favorito de béisbol?

Y...

¿Quién es tu jugador de baloncesto favorito?

Sofía respondió "lo mismo" a todas las preguntas:

—Los Gigantes.

—No hay ningún jugador que se llame Los Gigantes —dijo Toby.

—Demuéstramelo —respondió Sofía.

—Lo que sea —dijo Toby recostándose en su silla—. Está bien. Última pregunta. ¿Tienes algún apodo? ¿Sofster? ¿Soforraptor? —se rió y bajó el lápiz—. Da igual. Sé que no.

—Sí, lo tengo —dijo ella, porque tenía un apodo y no sonaba como el nombre de un dinosaurio—. Sofía la Fabulosa.

Sofía sonrió satisfecha.

Pero luego observó la cara de Toby. Antes parecía que estaba de mal humor. Ahora parecía que iba a estallar de la risa.

Y así fue. Soltó una carcajada.

—¡Toby! —dijo la Sra. Moffly desde el otro lado del salón—. Por favor, baja la voz. ¡Y siéntate!

"Ay, no —pensó Sofía—. Esta no fue una buena idea".

CAPÍTULO 9

¡Ay, no, no, no, no, no, no, no! ¿Qué había hecho?

Sofía había puesto su nuevo y preciado nombre en la boca sucia de Toby Myers. ¡Eso fue lo que hizo!

Oyó a la Sra. Moffly decir que no había más tiempo para las entrevistas, y se dio cuenta de que Toby estaba riéndose con Archie.

Por supuesto que estaban burlándose de ella. Era lo único que se le ocurría pensar. ¡Quería gritar! Así no era como debía comenzar la historia de Sofía la Fabulosa.

Claro, no hubiera habido ningún problema si hubiera establecido el nuevo récord saltando la cuerda o hubiera hecho cualquier otra cosa fabulosa porque entonces no tendría necesidad de demostrar que era fabulosa.

Sofía podía sentir el pánico en sus entrañas. Debió esperar al día siguiente para decirles a todos su nuevo nombre.

Sí, había cometido un GRAVE error.

A lo mejor, si fueran casi las tres, la Sra. Moffly dejaría las entrevistas para el día siguiente. Sofía miró el reloj. Eran las dos y quince.

Sintió un vuelco en el estómago cuando escuchó a la profesora llamar al primer equipo.

—Yo entrevisté a Mindy —comenzó Jack.

Mindy se puso de pie e hizo una reverencia. Lily aplaudió con admiración.

—Le pregunté si tenía hermanos —continuó Jack— y me contestó que no. Le pregunté sus deportes favoritos y me dijo que gimnasia y patinaje sobre hielo.

—Y equitación —añadió Mindy.

—Tú no me dijiste eso —dijo Jack.

—Pero me acordé ahora —respondió Mindy.

—Y equitación —repitió Jack—. También le pregunté cuántos dientes se le habían caído y me dijo que seis.

—¿Seis nada más? —gritó Archie—. A mí, ocho.

La clase entera se rió.

—Quise decir ocho —rectificó Mindy rápidamente—. ¿Ya me toca a mí?

—Sí, Mindy —dijo la Sra. Moffly—. Gracias, Jack. Y, por favor, sean respetuosos. Saben bien que no deben interrumpir.

Los chicos asintieron; sin embargo, no dejaron de reír.

Rieron cuando Mindy dijo que Jack nunca había comido un postre flameado.

Rieron cuando Grace dijo que el personaje favorito de los dibujos animados de Ben era Piolín.

Rieron cuando Eve dijo que Dean les tenía miedo a las mariposas.

Rieron cuando Sofía A. dijo que la comida favorita de Kate era el apio con pasas y mantequilla de maní. Sofía no sabía dónde estaba el chiste. ¡Eso era delicioso!

Sofía solo podía imaginar cuánto se reirían

cuando saliera a relucir su apodo. ¡Eso arruinaría la reputación de su nombre! Sentía que temblaba por dentro.

Y, entonces, llegó su turno.

—Sofía M. —dijo la Sra. Moffly—, ¿por qué no cuentas tu entrevista? Y todos, basta ya de risas, por favor.

Sofía miró el reloj. Eran las dos y cuarenta. ¿Su reportaje podría demorar veinte minutos? ¿El reportaje de Toby podría quedarse para el día siguiente? Al menos debía intentarlo.

—¿Sofía? —dijo la Sra. Moffly avanzando hacia ella—. ¿Sofía?

Se escucharon risas. Sofía se señaló con el dedo y se mostró sorprendida.

—¿Quién? ¿Yo? —dijo.

—Sí, tú —respondió pacientemente la profesora.

—Perdón —dijo encogiéndose de hombros—, pensé que era con Sofía A.

—No —dijo la Sra. Moffly—. Creo que dije Sofía M., además, ya Sofía A. nos dio su reportaje. ¡No más risas!

—Entonces, ¿me toca a mí? —dijo Sofía.

Suspiró y se puso de pie con su papel.

Se aclaró la garganta.

Contó hasta tres.

Hasta cuatro.

Hasta cinco.

—Cuando quieras, Sofía —dijo la Sra. Moffly.

—Gracias —dijo Sofía—. Muchas, pero muchas, muchas...

—¡Sofía! —interrumpió la Sra. Moffly.

—Gracias.

Sofía tomó aire, luego lo soltó y miró a su alrededor.

—¡Empieza ya! —gritó Archie.

—¡Archie! —dijo bruscamente la Sra. Moffly, y se volteó hacia Sofía—. Es normal sentirse nerviosa, Sofía. No es común en ti, pero por favor, relájate y comienza.

Relajarse. Exacto. Eso era lo que debía hacer. Relajarse y comenzar despacio.

—Bien... pues... yo entrevisté a Toby. Toby Myers. ¿Todos conocen a Toby, verdad?

—¡Sí! —respondió el salón.

—Bien —Sofía aclaró su garganta nuevamente—, pues… yo entrevisté a Toby y…

Sofía examinó cuidadosamente su papel. Luego comenzó a limpiar un poco de pintura verde en la palma de su mano.

—¿Entonces? —dijo la Sra. Moffly.

—Descubrí cuál era su color favorito —dijo mirando a la profesora.

—¿Entonces? —repitió la Sra. Moffly.

—El color favorito de Toby no es azul —respondió Sofía.

Varios niños comenzaron a reírse. Pero a Sofía no le importó. Mientras más tiempo se demorara en su reportaje, mejor. Eran las dos y cuarenta y cinco. Todavía faltaban quince minutos.

—Silencio, ya es suficiente —dijo la Sra. Moffly—. Sofía, por favor, continúa.

—El color… favorito… de Toby… Myers… es… —dijo Sofía, tratando de hacer una pausa entre palabra y palabra.

—¡Rojo! —gritó Toby.

Toda la clase comenzó a reír y a aplaudir.

—¡Y mi helado favorito es el de chocolate! ¡Y tengo dos gatos! ¡Y quiero ser reportero o jugador de béisbol!

—¡Toby! —dijo la Sra. Moffly.

—Ay, perdón —respondió Toby encogiendo los hombros—, es que Sofía iba demasiado despacio. Estaba tratando de ayudarla.

¿Ayudar? Sofía miró a Toby con más intensidad que nunca. Podía sentir los rayos láser que salían como misiles de sus ojos. Bueno, casi. Si fueran de láser sería fabuloso.

—Siento que te hayan interrumpido, Sofía —dijo la Sra. Moffly—. ¿Hay algo más que quieras decirnos?

¡Seguro que había algo más! Quería decirles a todos que Toby Myers era un enorme dolor de cabeza. Quería decirles que no escucharan nada de lo que él dijera. Quería decirles que no importaba cuánto se rieran de ella ese día, al día siguiente se ganaría su fabuloso nombre.

Pero no lo hizo.

—No —dijo y se sentó a esperar a que Toby arruinara

su vida.

—Yo la entrevisté a ella —dijo Toby, y señaló a Sofía con el dedo.

—Me llamo Sofía Miller —murmuró Sofía.

Todos comenzaron a reír. Toby la miró con una expresión burlona. Estaba pensando en su apodo. Ella lo sabía. Estaba pensando cómo podría decirlo, de modo que sonara lo más ridículo posible.

Sofía recostó la cabeza en su escritorio. ¿Por qué Toby tuvo que ser su pareja? ¿Por qué, entre todas las personas, tuvo que ser a él a quien le dijera su nuevo nombre? ¿Por qué no cerró su bocaza hasta el día siguiente?

No se sentía como Sofía la Fabulosa. Se sentía como Sofía la Chica más Tonta del Mundo.

—En fin —continuó Toby—, según ella, sus equipos favoritos de fútbol y béisbol son Los Gigantes. Pero lo más probable es que no tenga ni idea de quiénes son porque eso es realmente raro.

—¡Es un disparate! —gritó Archie.

—¡Archie! ¡Toby! —dijo la Sra. Moffly.

—Bueno, así es —añadió Toby—. Y dijo que su

jugador de baloncesto favorito era un gigante. O sea, ellos son altos, ¿pero gigantes? ¡Vamos!

Toby se rió y un grupo de niños lo secundaron.

—Ya es suficiente —dijo la Sra. Moffly—. Y recuerda, Toby, en tu trabajo como reportero debes limitarte a los *hechos*. ¿Hay otro *hecho* que quieras añadir?

Toby miró a Sofía y ella sintió que el rostro le ardía. Casi podía imaginar cómo lucía. Estaba esperando que él soltara su nuevo nombre y toda la clase comenzara a reírse.

Pero Toby se encogió de hombros y regresó a su asiento.

—No, nada más. Ella es demasiado aburrida —dijo.

Por supuesto que todos comenzaron a reírse. Todos, menos Sofía.

Nunca en su vida se había sentido tan feliz de que alguien la llamara aburrida.

¿Realmente Toby iba a terminar su reportaje sin burlarse de su nombre, Sofía la Fabulosa?

Sofía se pellizcó. Era cierto, no estaba soñando.

No se atrevía a mirar a Toby por miedo a que lo recordara. Pero en silencio le dio las gracias. ¿Quién iba a pensar que Toby pudiera hacer algo tan... fabuloso?

CAPÍTULO 10

𝒫or suerte para Sofía, el día había terminado. ¡Había durado una eternidad! No tenía idea de por qué Toby no se había burlado de su nombre en el salón, pero le preocupaba. En cualquier momento él podría cambiar de parecer y arruinarlo todo.

¿Pero si no lo hacía? ¿Entonces qué? ¿Debía agradecérselo?

¡Uff! Eso podría ser peor.

Agarró su mochila para llegar al autobús lo más rápido posible. Allí podría comenzar a hacer planes con Kate para el día siguiente: el día que, finalmente, ¡demostraría que era fabulosa!.

En el autobús, Sofía llevó a Kate hasta su asiento favorito en la parte de atrás. Entonces se agachó con la esperanza de que Eva no la viera.

Eva Fitzgibbon estaba en preescolar, era la vecina de Sofía… ¡y siempre la estaba persiguiendo!

—¡SOOOO-FÍ–AA!

Se escuchó la voz chillona de la nina.

—¡Hola! —dijo Eva mientras se sentaba al otro lado de Sofía y Kate. Entonces se agachó como las chicas—. ¿Y de quién se esconden?

—De nadie —dijo Sofía, pero a Kate se le salió una carcajada.

Por alguna razón, Kate pensaba que Eva era simpática. Sofía se preguntaba si Kate sentiría lo mismo si Eva estuviera detrás de ella como una cola.

—¿Qué tienes en la caja? —preguntó Kate.

Eva llevaba una caja grande de zapatos escrita con crayones. Sofía leyó las letras garabateadas: Resortes de Eva. ¿Qué?

—¡Es mi colección de resortes mágicos! —dijo Eva mientras el autobús se alejaba de la escuela—. Los traje para enseñarlos y jugar con los demás. Tengo veintiuno y medio. ¿Quieren verlos?

—¡Por supuesto! —dijo Kate.

—¡Kate! —murmuró Sofía antes de que Eva abriera la caja—. Tenemos cosas que discutir —dijo y volteó a Kate por los hombros, de manera que quedara de frente—. ¿Eva, nos disculpas?

Pero Kate parecía no entender.

—¿Qué tenemos que discutir nosotros?

—Sofía la Fabulosa, ¿te acuerdas? —suspiró.

—¡Ay, sí! —respondió Kate—. Pero pensé que mañana romperías el récord saltando la cuerda.

—Sí —dijo Sofía—. Estaba pensando que mañana debería llegar más temprano para saltar la cuerda antes de que empiecen las clases. Así comenzaría el día siendo Sofía la Fabulosa.

"Antes de que Toby abra la boca y les diga a todos mi nuevo nombre", pensó.

—Me parece bien —dijo Kate.

—A mí también me parece bien —dijo Eva sonriendo desde el pasillo—. Pero, ¿de qué están hablando?

—De nada —dijo Sofía.

—¿Cómo que de nada? —dijo Kate—. Estamos

hablando de establecer un nuevo récord saltando la cuerda. Eso es algo grande, ¿o no?

Sofía tuvo que admitir que Kate tenía razón.

—¡Es algo fabuloso! —dijo Eva—. ¿Cuál es el récord?

—Ciento treinta y cuatro —dijo Sofía con seriedad.

—¡CIENTO TREINTA Y CUATRO! —exclamó Eva.

Todos en el autobús se voltearon.

—¡No griten en el autobús! —dijo el Sr. Blatt, el chofer.

—¡Oye! —susurró Eva—. ¡Eso es mucho!

Después de todo, Eva no era tan mala.

Entonces habló Hayley, la hermana mayor de Sofía.

Hayley casi nunca hablaba con Sofía. Estaba en quinto grado y casi siempre estaba ocupada haciendo algo.

En el autobús, casi siempre se la pasaba conversando con su amiga, Kim.

En la escuela, casi siempre se la pasaba persiguiendo al niño que le gustaba, Sam.

Después de la escuela, casi siempre iba a las clases de ballet o a casa de Kim.

En la casa, casi siempre se la pasaba en la computadora o en el teléfono, hablando con Kim sobre Sam… o sobre el ballet…. o… eso era todo.

Por eso, Sofía era la responsable de que Max, su hermanito menor, no se metiera en problemas. ¡Pero esa era otra historia!

—¿Qué es ciento treinta y cuatro, Eva? —preguntó Hayley.

—Es el récord de saltar la cuerda —respondió Eva con orgullo—. Sofía lo va a batir y yo la voy a ayudar. ¡Es algo fabuloso!

Sofía no pudo evitarlo: le dio unas palmaditas a Eva en la cabeza; ella era una plaga, pero sabía qué decir.

Mientras tanto, Hayley miró a Kim con una de esas miradas que Sofía bien conocía.

—Ese no es el récord —dijo Hayley.

—¿Ah, no? —dijo Sofía.

—No —dijo Kim—. Jenny Brown, que está en nuestro salón, ha hecho más de mil. Es el nuevo récord.

Sofía vio cómo su nombre (la Fabulosa) se alejaba poco a poco.

—Yo no sabía eso —murmuró Kate.

—Seguramente porque tú estás en tercer grado —dijo Hayley—, pero es cierto. Ese récord nadie lo ha podido batir. Supongo que Sofía puede intentarlo, pero nadie ha podido siquiera quedar cerca.

Entonces Hayley y Kim se voltearon y siguieron con su secreteo habitual.

Sofía recostó su cabeza en el respaldar del asiento del frente.

—¿Saltar mil veces la cuerda? ¡Jamás voy a batir ese récord! —gimió.

—¡Por supuesto que puedes! —dijo Eva sonriendo—. ¡Tú puedes hacer cualquier cosa, Sofía!

Pero Sofía no estaba tan segura. Convertirse en la Fabulosa se había vuelto mucho más difícil de lo que pensaba.

—¡Eh! Toc toc —dijo Kate.

—Ahora no —suspiró Sofía.

—¿Quién es? —preguntó Eva.

—Tupué —respondió Kate.

—¿Qué Tupué?

—¡Tupué-des lograrlo, Sofía! —dijo Kate y le dio un abrazo—. ¡Ya llegamos!

Los frenos del autobús chirriaron, la puerta se abrió y los chicos y las chicas comenzaron a bajar.

—Oye, Sofía —dijo Kate—. ¿Qué te parece si vamos a mi casa y hacemos un nuevo plan?

—Está bien.

—¿Puedo ir yo también? —preguntó Eva mientras bajaba la escalerilla.

—Mejor no, Eva —dijo Sofía. En un plan de tanta envergadura no podía participar una niñita de preescolar—. Esto es demasiado importante.

El autobús se alejó y Sofía y Kate comenzaron a subir la colina hasta su casa. Sofía podía escuchar la voz de Eva persiguiéndolas.

—¡Espérenme! —gritó Eva—. Me cuesta mucho trabajo correr con esto. ¡Ay, no! ¡Mis resortes!

Sofía se dio la vuelta para ver a Eva. Estaba parada en la acera, su caja estaba vacía y sus ojos se le querían salir del rostro. Veintiún resortes y medio rodaban por el asfalto.

—¡Mis resortes! —repitió Eva y comenzó a correr hacia el otro lado de la calle.

—¡No, Eva! —gritó Sofía inmediatamente—. ¡No cruces la calle!

Sofía corrió tan rápido como pudo, se abalanzó sobre la mochila de Eva, la agarró por la correa y le dio un fuerte tirón. Pero la mochila de Eva se deslizó por los hombros.

—¡Eva! —volvió a gritar Sofía.

Estiró la mano, agarró la camiseta de Eva y esta vez tiró mucho más fuerte.

Al fin logró detener a Eva, que ya tenía los pies en el borde de la acera.

Medio segundo después, un auto pasó a toda velocidad frente a ellas.

—¡Increíble! —dijo Eva.

—¡Vaya! —dijeron los otros niños que se habían bajado del autobús—. ¡Eso estuvo cerca!

Sofía respiró profundo. ¡Sí, estuvo cerca!

De pronto, Eva se volteó y abrazó a Sofía tan fuerte como pudo.

—¡Sofía, tú eres mi heroína! —exclamó.

Sofía miró hacia abajo y vio el cabello rojizo de Eva. Hizo una mueca mientras la pequeña la apretaba mucho más fuerte.

—¡Suave, Eva! —murmuró Sofía—. Eso duele; además, yo no hice nada.

Sofía trataba de despegársela, pero Eva no se movía.

—¡Sí, fuiste tú! —dijo Eva—. ¡Me salvaste la vida!

—Es verdad, le salvaste la vida —repitió Kate.

—Es una lástima que no hayas podido salvar mis resortes mágicos —dijo Eva mirando hacia la calle.

Sofía también vio los resortes en la calle... parecían un colorido ejército de macarrones.

El auto que había pasado se detuvo al final de la colina. Se abrió la puerta. Era una vecina, la Sra. Dixon, que se bajó y recogió todos los resortes.

—¡Ay, Sra. Dixon! —dijo Eva—. ¡No olvide el rosado!

Por fin, Eva soltó a Sofía. ¡Qué alivio! Sofía pudo respirar de nuevo. Pero aún sentía una apretada y cálida sensación en la barriga. No podía dejar de sonreír. ¡Era una sensación agradable!

—¿Sabes lo que quiere decir esto? —Kate agarró la mano de Sofía—. Esto significa… Toc toc…

—¿Quién es?

—Sofía la —dijo Kate.

—¿Sofía la qué?

—Sofía la Fabulosa.

Sofía tuvo que reír. Pero luego movió la cabeza.

—¿No? —preguntó Kate.

—No —dijo Sofía.

Salvar la vida de Eva era muy loable, pero ahora Sofía tenía un nombre más fabuloso que la Fabulosa. Un nombre que le sentaría mejor.

Se puso las manos en la cintura y alzó la cara.

—¡Sofía la Heroína! ¡Esa soy yo!

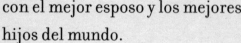

Sobre la autora

Al igual que a Sofía, a **Lara Bergen** le encantaría encontrar un nombre que la describiera perfectamente… pero se conforma con ser la autora de esta gran serie y de muchos libros para niños, y con haber sido la editora de muchos más. Lara vive en la ciudad de Nueva York, la Gran Manzana, con el mejor esposo y los mejores hijos del mundo.